Die

Rinden

heimischer und kultivierter

Laub- und Nadelbäume

im Vergleich

QUELLE & MEYER
BESTIMMUNGSKARTEN

1. Berg-Ahorn (jung)
Acer pseudoplatanus

2. Eberesche
Sorbus aucuparia

3. Elsbeere
Sorbus torminalis

4. Bruch-Weide
Salix fragilis

5. Hänge-Birke (jung)
Betula pendula

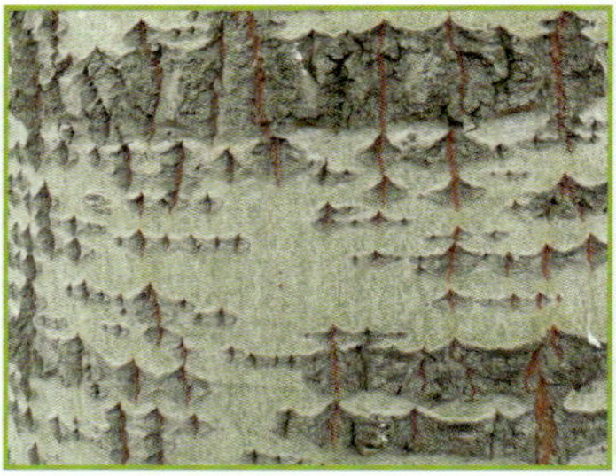

6. Silber-Pappel
Populus alba

7. Zitter-Pappel
Populus tremula

8. Götterbaum
Ailanthus altissima

9. Silber-Ahorn
Acer saccharinum

10. Schwedische Mehlbeere
Sorbus intermedia

11. Hainbuche
Carpinus betulus

12. Grau-Erle
Alnus incana

13. Mehlbeere
Sorbus aria

14. Traubenkirsche
Prunus padus

15. Vogelkirsche
Prunus avium

16. Rot-Buche
Fagus sylvatica

45. Gewöhnliche Robinie
Robinia pseudoacacia

46. Schwarz-Pappel
Populus nigra

47. Schwarz-Kiefer
Pinus nigra

48. Gewöhnliche Rosskastanie
Aesculus hippocastanum

49. Silber-Weide
Salix alba

50. Stiel-Eiche
Quercus robur

51. Trauben-Eiche
Quercus petraea

37. Esskastanie
Castanea sativa

38. Berg-Ulme
Ulmus glabra

39. Gewöhnliche Kiefer
Pinus sylvestris

40. Ginkgobaum
Ginkgo biloba

41. Götterbaum (alt)
Ailanthus altissima

42. Hänge-Birke (alt)
Betula pendula

43. Speierling
Sorbus domestica

44. Walnuss
Juglans regia

17. Ahornblättrige Platane
Platanus × hispanica

18. Berg-Ahorn (alt)
Acer pseudoplatanus

19. Apfelbaum
Malus domestica

20. Birnbaum
Pyrus communis

21. Europäische Lärche
Larix decidua

22. Rot-Eiche
Quercus rubra

23. Spitz-Ahorn
Acer platanoides

24. Eibe
Taxus baccata

ROBPLATTIG ODER FLACH LÄNGSRISSIG

25. Gewöhnliche Fichte
Picea abies

26. Sal-Weide
Salix caprea

27. Weiß-Tanne
Abies alba

28. Schwarz-Erle
Alnus glutinosa

29. Sommer-Linde
Tilia platyphyllos

30. Winter-Linde
Tilia cordata

31. Douglasie
Pseudotsuga menziesii

32. Feld-Ahorn
Acer campestre

33. Baum-Hasel
Corylus colurna

34. Feld-Ulme
Ulmus minor

35. Flatter-Ulme
Ulmus laevis

36. Gewöhnliche Esche
Fraxinus excelsior

Bildnachweis:
Wolfgang Willner: 7, 10, 15-19, 21, 22, 24, 28, 30, 35, 39, 42, 44, 45; Helmut Baumann: 1, 2, 3, 4, 8, 13, 20, 25, 26, 32-34, 37, 38, 40, 43, 46-48; Gisela Tubes: 11, 12, 23, 29, 36, 50, 51; Ulrich Hecker: 14, 41; (Wikimedia Commons): Koivut 5, Warburg 6, Salguero 9, Crusier 27, 31, S Sepp 49

Projektberatung und Zusammenstellung: Bruno P. Kremer

Weiterführende Literatur:
Spohn/Spohn: Die Rinden unserer Bäume (ISBN 978-3-494-01799-0)
Schmidt/Hecker: Die wildwachsenden und kultivierten Laub- und Nadelgehölze Mitteleuropas (ISBN 978-3-494-01800-3)

ISBN 978-3-494-01556-9
Best.-Nr.: 494-01556
www.quelle-meyer.de

9 783494 015569

QUELLE & MEYER
BESTIMMUNGSKARTEN